CÉDRIC

PÉPÉ SE MOUILLE

Dessin : Laudec

Scénario : Cauvin

Couleurs : Leonardo

DUPUIS

D. 1994/0089/19
ISBN 2-8001-2092-4 — ISSN 0775-6658

Imprimé en Belgique.

Cédric mène campagne

C'EST QUOI EXACTEMENT, UN DÉLÉGUÉ DE CLASSE, MADEMOISELLE?
C'EST QUELQU'UN DÉSIGNÉ PAR L'ENSEMBLE DES ÉLÈVES POUR REPRÉSENTER LA CLASSE!

SI, PAR HASARD, L'UN DE VOUS AVAIT DES DEMANDES OU DES SOUHAITS À FORMULER, CE SERAIT À LUI QU'IL DEVRAIT LES CONFIER...

...ET C'EST AVEC LUI QUE J'ESSAIERAI DE FAIRE EN SORTE QUE TOUT AILLE POUR LE MIEUX...

OUI, CÉDRIC?

ET QUI C'EST QUI VA ÊTRE LE DÉLÉGUÉ DE LA CLASSE?

CE SERA À VOUS DE CHOISIR CELUI OU CELLE QUI, PARMI VOUS, SERA SUSCEPTIBLE DE POUVOIR DÉFENDRE AU MIEUX LES INTÉRÊTS DE CHACUN...

DANS DEUX JOURS, CHACUN DE VOUS DÉPOSERA UN BULLETIN DANS CETTE URNE AVEC LE NOM DE SON CANDIDAT. CELUI OU CELLE QUI TOTALISERA LE PLUS DE VOIX SERA ÉLU!

LE LENDEMAIN MATIN...
EH, CHRISTIAN, TU ME DONNES UN COUP DE MAIN?
POUR QUOI FAIRE?

POUR COLLER MES AFFICHES! J'Y AI PASSÉ TOUTE MA SOIRÉE, HIER. QU'EST-CE QUE TU EN PENSES?
WHOW!
le déclic c'est cédric! Voté cédric

À PROPOS, TU SAIS S'IL Y A PLUSIEURS CANDIDATS ?
OUAIS! TOUT D'ABORD, IL Y A TOI!
COLLE

ÇA, JE LE SAIS!
ENSUITE, IL Y A LUI...

?

JE L'AURAIS PARIÉ!
VOTEZ NICOLAS D'AULNAY DES CHARENTES DU VENTOU ÇA NE VOUS COÛTERA PAS UN SOU!

PASSE-MOI LE POT DE COLLE ET LE PINCEAU, VEUX-TU ?

ENSUITE ?

DU CÔTÉ DES FILLES, IL Y A...
?

OH, NOOOOON!
BEN SI!
VOTEZ CHEN PALCEQU'ON L'AIME

C'EST TOUT ?
NON, IL Y A ENCORE MA SOEUR.
Voté pour Adeline la divine!

OOOOH!
TA SOEUR, ON S'EN
DE TA SOEUR!
PLIPS
PLAPS
89/2

OOOH!
OOOOH!
?

CHRISTIAN, NOOON!
VOTE

SI!
SPLAASH
PLAPS
PLAPS

J'TE JURE, CHEN, C'EST PAS MOI ! C'EST LUI...
ET D'ABORD, C'EST PAS VRAI !

C'EST LUI QUI M'A DIT DE LE FAIRE !
OOOH, LE MENTEUR ! JURE ! VAS-Y, JURE-LE !

TU VAS SANS DOUTE DIRE AUSSI QUE CE N'EST PAS TOI NON PLUS QUI AS COLLÉ TON AFFICHE SUR LA MIENNE ?
EUH NON... ENFIN, SI...

ET SUR MA SOEUR !? QUI A COLLÉ UNE AFFICHE SUR MA SOEUR ? VAS-Y ! DIS-LE !
ALORS, C'ÉTAIT LUI !

CH... CHEN ?
8913

CHEN ?
FLOTCH
FLITCH
FLATCH

CHEN, NOOOON !

SPLASH

MILLE MILLIARDS DE
C'EST BIEN FAIT EUH ! C'EST BIEN FAIT EUH !

CHRISTIAN, TU VAS ME PAYER ÇA !
NOOON ! NOOON !

DIS-LE, NONDIDJÎÎÎ ! DIS-LE LUI !
CHEN ! C'ÉTAIT MOI ! J'TE JURE, C'ÉTAIT MOI ! C'EST PARCE QU'IL AVAIT COLLÉ UNE AFFICHE SUR MA SOEUR !

PASSE-MOI TON POT DE COLLE, CHEN, VEUX-TU ?
D'ACCOLD, MAIS JE GALDE LE PINCEAU !

ALOLS, C'ÉTAIT TOI ?!
SPLASH
ALORS, C'ÉTAIT TOI ?!
À MOI MAINTENANT, À MOI !
89/4

OUI, LUDIVINE?
VOUS DEVRIEZ VENIR VOIR, MADEMOISELLE! IL Y A DES GARÇONS QUI SE BATTENT!

ET DES FILLES AUSSI!

OOOH! ÇA SUFFIT!
SPLASH
FLOP
MOPS

VOUS DEVRIEZ AVOIR HONTE! VOUS N'ÊTES PAS MIEUX QUE LES ADULTES! JE VOUS DONNE DEUX MINUTES POUR ALLER VOUS LAVER ET RETOURNER EN CLASSE! HOP!

LE LENDEMAIN MATIN...
ET VOILÀ! APRÈS DÉPOUILLEMENT DES BULLETINS, J'AI LE GRAND PLAISIR DE VOUS ANNONCER QUE VOUS AVEZ TOUS VOTÉ À L'UNANIMITÉ POUR...

... MOI!

DANS LE FOND, C'EST BEAUCOUP MIEUX COMME ÇA!
OUAIS, TOUT ALLAIT BIEN AVANT, POURQUOI ON AURAIT CHANGÉ?
ET COMME ÇA, Y A PAS DE JALOUX!
N'EMPÊCHE, ON NE SAURA JAMAIS QUI AURAIT ÉTÉ LE MEILLEUR!
HÉ, HO! CÉDLIC, TU NE VAS PAS ENCOLE LECOMMENCER HEIN?!
89/5

CAUVIN - Laudec '92.

L'imagination féconde

SLAM

CÉDRIC, ÇA NE VA PAS ?
LAISSEZ-MOI, JE SUIS UN MISÉRABLE !

CÉDRIC, ATTENDS ! DIS-MOI, QU'EST-CE QUI NE VA PAS ?

?
BULLETIN

AAAH !

MAIS QU'EST-CE QUE... ?
JE SAIS... TU AS LE DROIT DE TE FÂCHER, PAPA...

TU AS MÊME LE DROIT DE ME BATTRE SI TU LE VEUX ! JE SUIS UN FILS INDIGNE ! JE NE MÉRITE PAS TON AFFECTION...

CÉDRIC, ÉCOUTE, JE...
NOOON, NE M'ADRESSE PAS LA PAROLE, PAPOUNET ! J'AI TROP HONTE...

APRÈS TOUT CE QUE TU FAIS POUR MOI... TU TE TUES À VENDRE DES CARPETTES DU MATIN AU SOIR...
DES TAPIS !

HEIN ?
DES TAPIS, JE VENDS DES TAPIS !
AH OUI, DES TAPIS EXCUSE-MOI...
85/1

... DES TAPIS DU MATIN AU SOIR, TOUT ÇA POUR AVOIR UN PEU D'ARGENT ET M'ENVOYER À L'ÉCOLE, ET MOI, QU'EST-CE QUE JE FAIS? RIEN!

POURTANT J'ESSAIE D'ÉTUDIER... J'ESSAIE, MAIS JE N'Y ARRIVE PAS! JE VOUDRAIS POURTANT QUE VOUS SOYEZ FIERS DE MOI... MAIS CE MATIN, J'AI DÉCOUVERT LA VÉRITÉ...
LA VÉRITÉ?

JE SUIS NÉ BÊTE! PAPA! C'EST AFFREUX! TU AS UN FILS BÊTE! BÊTE COMME SES PIEDS...

ALLONS, ALLONS, FISTON, QU'EST-CE QUE TU VAS PENSER LÀ?
MES ENFANTS SERONT BÊTES, DE PÈRE EN FILS, JE LE SENS!

VOYONS, CÉDRIC. D'ACCORD, TU N'AS PAS TES POINTS EN ARITHMÉTIQUE, EN FRANÇAIS, EN GÉOGRAPHIE, EN SCIENCES NATURELLES, EN PHYSIQUE, EN HISTOIRE ET EN MUSIQUE, MAIS TU AS ONZE SUR VINGT EN GYMNASTIQUE, C'EST DÉJÀ ÇA!

OUAIS, PEUT-ÊTRE QUE PLUS TARD, JE DEVIENDRAI UN GRAND ATHLÈTE, COMME CARL LEWIS OU BEN JOHNSON, MAIS EN PLUS BÊTE...
CHÉRI, TU VOIS BIEN QU'IL EST À BOUT! TU DEVRAIS LE LAISSER ALLER SE DISTRAIRE UN PEU...

C'EST ÇA, VA JOUER, FISTON, ON EN REPARLERA PLUS TARD...
OUI, PAPA...

ALORS?
ÇA A MARCHÉ!

FORMIDABLE, MAIS QUAND MÊME, J'ESPÈRE POUR TOI QU'UN JOUR, TU NE TOMBERAS PAS EN PANNE D'IMAGINATION!
MOI AUSSI!
ROLEROLE
ROLEROLEROLEROLE
ROLEROLEROLE
85/2

CAUVIN - Laudec

Aïe, maman, bobo...

HÉÉÉÉÉÉÉ...
KAÏ KAÏ KAÏ...
ROLE ROLE ROLE ROLE

VOYOUS!
?!
ROLE ROLE ROLE ROLE ROLE...

AAAAAÏÏ...
BANG BLANG DING DING

EH, CÉDRIC... ÇA... ÇA VA?

AÏE AÏE AÏE AÏE AÏE AÏE!

AÏE AÏE AÏE AÏE AÏE AÏE

QU'EST-CE QUE TA MÈRE VA TE PASSER! T'AS VU TON PANTALON?
ET MON GENOU? T'AS VU MON GENOU?

PLUS TARD...
CÉDRIC! MAIS QU'EST-CE QUE...?
L'EST TOMBÉ, M'DAME!

VIENS ME MONTRER ÇA!
JE VIENS... MAIS TOUCHE PAS, HEIN!
87/1

MAIS TU SAIGNES ? ENLÈVE TON PANTALON !
AH NON !

CÉDRIC, ENLÈVE TON PANTALON OU JE TE L'ENLÈVE MOI-MÊME !
NON !
CÉDRIC !
NON !

NOOON ! NOOON !
ET MOI, J'AI DIT SI !

PEU APRÈS ...
C'EST BIEN CE QUE JE PENSAIS ! LA BLESSURE N'EST PAS GRAVE, MAIS IL VAUT MIEUX LA DÉSINFECTER ! C'EST PLUS PRUDENT !
AH NON !
AH SI !
AH NON !

TU VEUX QU'ELLE S'INFECTE, QUE TU ATTRAPES LA GANGRÈNE ET QU'ON TE COUPE LA JAMBE ? C'EST ÇA QUE TU VEUX, HEIN ? DIS ?
ÇA VA FAIRE MAAAL !

ÇA VA PIQUER UN PEU, VOILÀ TOUT !
J'VEUX PAAAAS !

SALUT, LES FILLES !
87/2

VOUS CONNAISSEZ LA DERNIÈRE ? CÉDRIC EST TOMBÉ ! ON VA DEVOIR LUI COUPER LA JAMBE !

QUI EST-CE QUI T'A DIT ÇA ?
SA MAMAN !... ENFIN, C'EST CE QUI RISQUE DE LUI ARRIVER S'IL NE SE SOIGNE PAS !
ÇA, C'EST BIEN LES GARÇONS. IL FAUT QU'ILS EXAGÈRENT TOUJOURS !

EH, CHEN, OÙ VAS-TU ?

CÉDRIC, VIENS ICI !
NOOON ! J'VEUX PAS !

CÉDRIC, VIENS ICI !
NOOON !

TA COPINE EST DEVANT L'ENTRÉE !
CH... CHEN ?
EH !

QU'EST-CE QUE JE FAIS ? JE LA FAIS ENTRER ?
POURQUOI PAS ?
EEEH ! MAIS JE SUIS EN SLIP !
METS TON PEIGNOIR !
87/3

BONJOUR, CHEN, TU ES VENUE PRENDRE DES NOUVELLES DE CÉDRIC ? C'EST TRÈS GENTIL, ÇA...

METS TON PIED SUR CE TABOURET !
TU ARRIVES AU BON MOMENT. ON VA LUI DÉSINFECTER SA BLESSURE ! BIEN SÛR QU'IL SAIT QUE ÇA PIQUE UN PEU, MAIS TU VAS VOIR COMME IL A DU COURAGE,
BONJOUL, CÉDLIC !
HÉHÉ...
'JOUR, CHEN !

BIEN... ALLONS-Y !

BZZZZZZ

LÀÀÀ... C'EST TRÈS BIEN ! ET À PRÉSENT, UN PETIT PANSEMENT...

VOILÀ, C'EST TERMINÉ ! TU VOIS BIEN, ÇA NE VALAIT PAS LA PEINE D'EN FAIRE UN DRAME !
HEIN ? MAIS J'AI RIEN DIT, MOI !

ET À PRÉSENT, TU PEUX ENCORE ALLER JOUER SI TU LE DÉSIRES, MAIS CETTE FOIS, SOIS UN PEU PLUS PRUDENT...

TU SAIS À QUOI JE PENSE, MARIE-ROSE ?
NON !

SI LA PETITE CONSENTAIT À FAIRE SES DEVOIRS AVEC LUI, ÇA IRAIT BEAUCOUP MIEUX POUR LE GAMIN À L'ÉCOLE...
JE LE PENSE AUSSI !
87/4

CAUVIN - Laudec

Des blancs en neige

SCRATCH
SCRATCH SCRATCH

?
SPLAF

LES GARÇONS SONT TOUS DES

ATTENTION, EN VOILÀ ENCORE UNE...
... C'EST YOLANDE CARFAVELLE!
SCRATCH
SCRATCH

PRÊT !?
OUAIS !
SCRATCH
SCRATCH
SCRATCH

SPLAF

WHAHAHAHAHA
HAHA
HoHoHo
HiHiHi

AH, ENCORE UNE!
OÙ ÇA? OÙ ÇA?
SCRATCH
SCRATCH

EEEH! C'EST MA SOEUR!
ON S'EN FOUT DE TA SOEUR!
86/1

SPLAF
CÉDRIC, NOOOON!
SI! ET HOP!

CHRISTIAN! JE SAIS QUE C'EST TOI! ATTENDS QUE TU RENTRES À LA MAISON! JE TE JURE, ÇA VA ÊTRE TA FÊTE!
HAHAHA
HIHIHI
HAHA
HIHI
HOHOHO
HOHO
HIHI
ÇA, C'EST PAS MALIN!

SCRATCH
SCRATCH
SCRATCH

QUI C'EST?
HIHIHI! QUI QUE CE SOIT, ÇA VA ÊTRE SA FÊTE!

?!
SCRATCH
SCRATCH

CHEN!
M'EN FOUS!

CHRISTIAN, NOOOON!
SI!
HOP!

SPLAF

CÉDLIC!

AH NON! AH NON! C'EST PAS MOI, C'EST LUI!
ET ALORS? T'AS BIEN VISÉ MA SOEUR, TOI!

SPAF
?

EEH! T'AS VU ? ELLE N'EST MÊME PAS FÂCHÉE!
Hi Hi Hi Hi Hi Hi

QU'EST-CE QU'ON FAIT ?
ON CONTINUE, MAIS ON VISE À CÔTÉ, VU ?

C'EST PAS DU JEU, ÇA!
J'AI DIT: À CÔTÉ, COMPRIS!?

Hi Hi Hi Hi Hi Hi Hi
PLOF

PLOF

SSSS VLOUF
?

Hi Hi Hi Hi Hi Hi!
ÇA ALORS! MAIS COMMENT ELLE A FAIT? HEIN? DIS, COMMENT ELLE A FAIT?

BEAUCOUP PLUS TARD...
JE NE TE COMPRENDS PAS, GAMIN. MOI, À TON ÂGE, QUAND IL AVAIT NEIGÉ, JE SORTAIS ET J'EMBÊTAIS LES FILLES!
AH OUI ?
MOI, JE NE TROUVE PAS ÇA MARRANT! ET PUIS... ET PUIS, J'AI PAS ENVIE!
86/3

CAUVIN - Laudec '92

Pour faire vrai

NONDIDFÛDINONDIDFÛ!
TU NE L'AS PAS ENCORE RETROUVÉ ?
NON!

TU NE TE SOUVIENS PAS OÙ TU L'AS DÉPOSÉ LA DERNIÈRE FOIS ?
FI ! DANS V'UN VERRE FUR L'ÉVIER COMME D'HABITUDE!

ALORS, IL DEVRAIT ENCORE S'Y TROUVER...
EH BEN NON !

MAIS ENFIN, PAPA, QUI VOUDRAIS-TU QUI...?
VUFTEMENT VE ME LE DEMANDE...

CÉDRIC?
OUI?

IL EST BEAU, HEIN?

NE CHERCHE PLUS, PAPA, JE L'AI RETROUVÉ !
?

NE FAIS DONC PAS CETTE TÊTE-LÀ! IL VOULAIT SIMPLEMENT QUE ÇA FASSE PLUS VRAI, VOILÀ TOUT!
94

CAUVIN - Laudec '93

Râles d'eau

ATTENTION, À MON COUP DE SIFFLET, TOUT LE MONDE À L'EAU!

BLOF
SPLAF

EH BIEN, CHEN?
'SAIS PAS NAGER...

NE T'EN FAIS PAS, JE VAIS T'APPRENDRE, MOI! TU VERRAS, CE N'EST PAS DIFFICILE!

SPLASH
?!!
EH, CÉDRIC! T'AS VU?

ALLEZ, VIENS! VIENS! N'AIE PAS PEUR...

?
82/1

QU'EST-CE QUE TU VIENS FAIRE LÀ, TOI?
MOI? RIEN! JE REGARDE, C'EST TOUT!

VA NAGER AVEC LES AUTRES, COMPRIS?

SPLASH
BIEN! C'EST TRÈS BIEN!

ET MAINTENANT, REGARDE BIEN CE QUE JE FAIS AVEC LES BRAS... UNE DEUX, UNE DEUX...

AVEC LES JAMBES À PRÉSENT, UNE DEUX... UNE DEUX...

LES BRAS ET LES JAMBES À PRÉSENT, UNE DEUX... UNE DEUX...
DIS, CÉDRIC, TU AS DE LA FIÈVRE?
NON, POURQUOI?

ON DIRAIT QU'IL Y A L'EAU QUI FUME AUTOUR DE TOI!
HAHAHAHA HiHi HoHoHo
MON DIEU, QUE C'EST MALIN!

BIEN. À PRÉSENT, COUCHE-TOI SUR MES BRAS. N'AIE PAS PEUR! TU VAS ESSAYER DE COMBINER CES DEUX MOUVEMENTS ENSEMBLE...
PRÊTE?
OUI!

?

UNE SECONDE, VEUX-TU...?

CÉDRIC, TU LE FAIS EXPRÈS OU QUOI?
82/2

AVEC LES AUTRES, OUSTE !

VAS-Y, CHEN ! UUUNE DEUUX... UUUUNE DEUUUX...
PAS TROP VITE !
ENSEMBLE, LES MOUVEMENTS...
BIEN, TRÈS BIEN...

À PRÉSENT, JE VAIS TE LÂCHER. N'AIE PAS PEUR...

CONTINUE À BIEN FAIRE TES MOUVEMENTS... UUUNE, DEUUX... UUNE, DEUUX...

PARFAIT ! PARFAIT ! CONTINUE !
ENFONCE BIEN TES BRAS ET TES JAMBES DANS L'EAU...
SPLITCH
SPLATCH
SPLITCH

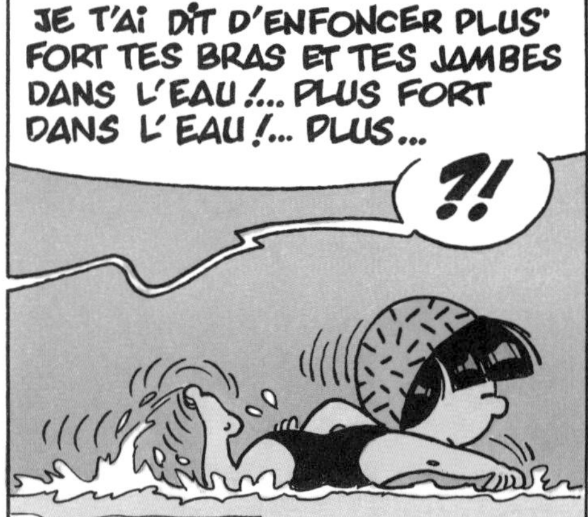
JE T'AI DIT D'ENFONCER PLUS FORT TES BRAS ET TES JAMBES DANS L'EAU !... PLUS FORT DANS L'EAU !... PLUS...
?!

PLAF
PLAF
PLAF

82/3

JE M'EN DOUTAIS !

?

EH, BEN!
'SAIS PAS CE QU'ELLE A VOULU DIRE MAIS EN TOUT CAS, ELLE L'A BIEN DIT!
C'EST TOUT ELLE, ÇA!

C'EST PLUS DES CORDES VOCALES, ÇA, CE SONT DES CORDES À LINGE!
EH, CÉDRIC, OÙ VAS-TU?

TU NE JOUES PLUS?
CÉDRIC!

PLUS TARD...
CÉDRIC, PEUX-TU M'EXPLIQUER CE QUE SIGNIFIENT CES MAUVAISES NOTES EN GYMNASTIQUE?
ALLEZ! VAS-Y, JE T'ÉCOUTE!

TU COMPRENDS, M'AN, J'AVAIS PEUR QU'ELLE COULE!
MAIS ENFIN, CHÉRI, SI UN JOUR, ELLE VENAIT À TOMBER À L'EAU, IL FAUDRAIT BIEN QU'ELLE S'EN SORTE. TU NE SERAS PAS TOUJOURS LÀ POUR L'AIDER...
PLAF PLAF
PLAF

REGARDE TON GRAND-PÈRE, LE JOUR OÙ IL EST TOMBÉ DANS L'ÉTANG, S'IL N'Y AVAIT PAS EU LES POMPIERS, IL Y SERAIT ENCORE...
IL... IL NE SAIT PAS...?
NON!

PLUS BAS, LES JAMBES! PLUS BAS!
C'EST VRAI QU'IL N'Y A PAS D'ÂGE POUR APPRENDRE À NAGER, MAIS TOUT DE MÊME...
82/4

CAUVIN - Laudec 92

Humour en demi-teinte

ÉCOUTEZ, MONSIEUR ROHAR, JE VOUS DIS CELA, ET JE NE VOUS DIS RIEN, MAIS POURQUOI NE PAS ESSAYER UNE TEINTURE POUR ATTÉNUER LA COULEUR DE CES VILAINS CHEVEUX GRIS?
VOUS CROYEZ!?
FFEUR
HOMMES-DAMES
de Paris

ET COMMENT QUE J'Y CROIS! ET EN PLUS, ÇA VOUS FERAIT PARAÎTRE DIX ANS PLUS JEUNE!

ALORS? ON SE LAISSE TENTER?
BEN...

D'ACCORD!
À LA BONNE HEURE!

VOUS M'EN DIREZ DES NOUVELLES...

PLUS TARD...
CÉDRIC, VA OUVRIR, VEUX-TU?
DING DONG

?!
PÉ...? PÉPÉ?

HAHAHAHAHAHA
HAHA
HiHi
HiHiHi HoHo
HAHAHA
HiHi

CÉDRIC, QUI EST-CE?
GAMIN!
HiHiHi
HOHOHOHAHAHA
GARGL
HiHi
91/1

C'EST... HIHIHI.. C'EST... HOHOHO... PÉPÉ, M'AN!
?

PAPA!?
MAIS... QU'EST-CE QUE...?

WHAHAHAHA
HIHIHI
HAHA
HOHO

HAHAHAHA
HOHO
HIHI
BONJOUR, TOUT LE MONDE!

AH, VOUS, JE NE VOUS PERMETS PAS, HEIN!
HIHI ASSEZ
HOHO
HIHI
HAHAH

BEN...? QUI C'ÉTAIT, CELUI-LÀ ?
HOHO HI
GARGL
HIHI HAHA
HIHI

NON, MÔSSIEUR, JE NE PARTIRAI PAS D'ICI AVANT QUE TOUT NE SOIT PARTI, ET JE VOUS AVERTIS, JE NE PAIERAI PAS!
LADY DI
9112

CAUVIN - Laudec '93

Marche ou paie !

DEUX KILOMÈTRES À PIED, ÇA USE, ÇA USE... DEUX KILOMÈTRES À PIED, ÇA USE LES SOULIERS

CETTE FOIS-CI, Y'EN A MARRE, J'ABANDONNE!
?

CÉDRIC, T'ES FOU? ILS VONT CONTINUER SANS NOUS!...
EH BEN, QU'ILS CONTINUENT...

ALLEZ, VIENS, QUOI, ON N'EST PLUS QU'À CINQ KILOMÈTRES!
COMBIEN?

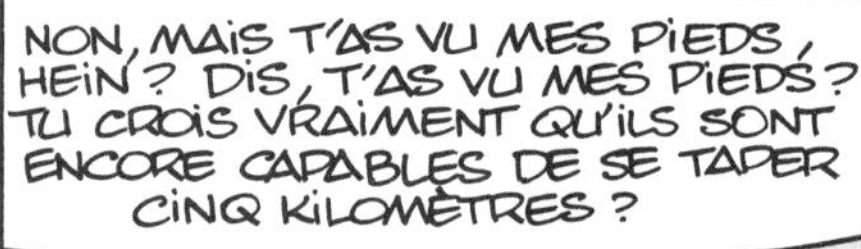

NON, MAIS T'AS VU MES PIEDS, HEIN? DIS, T'AS VU MES PIEDS? TU CROIS VRAIMENT QU'ILS SONT ENCORE CAPABLES DE SE TAPER CINQ KILOMÈTRES?

JE N'AURAIS JAMAIS LE COEUR DE CONTINUER TOUT SEUL EN LES ABANDONNANT ICI...
CÉDRIC, NE FAIS PAS L'ANDOUILLE!

ILS S'ÉLOIGNENT DE PLUS EN PLUS! ON NE LES VOIT PRESQUE PLUS.
VA REJOINS-LES, CHRISTIAN...

... ET DIS-LEUR BIEN QUE SI, DANS UNE DIZAINE D'ANNÉES, ON DÉCOUVRE UN PETIT SQUELETTE, ICI, AU BORD DE LA ROUTE, C'EST LE MIEN!

TOUT ÇA, C'EST LA FAUTE AU VICAIRE...
LE VICAIRE?
92/1

C'EST LUI QUI A POUSSÉ MA MÈRE À M'INSCRIRE, IL L'A CONVAINCUE QUE C'ÉTAIT PLUS SAIN POUR MOI DE DÉCOUVRIR LA NATURE QUE DE RESTER PLANTÉ COMME UN RADIS DEVANT LA TÉLÉVISION À LONGUEUR DE JOURNÉE...
ENTRE NOUS, AVOUE QU'IL A UN PEU RAISON...
VOUS QUITTEZ BLANGY. BON DÉBARRAS!

OUAIS, SAUF QUE LUI, LA NATURE IL LA DÉCOUVRE EN MOTO! (*)

ON PEUT SAVOIR CE QUE VOUS FAITES?
DU STOP, MON GARÇON!
DU STOP?

OUAIS! JE FAIS SIGNE AUX VOITURES, ET QUAND L'UNE D'ELLES CONSENT À S'ARRÊTER, JE DEMANDE POLIMENT AU CONDUCTEUR DE M'APPROCHER LE PLUS POSSIBLE DE MA DESTINATION...

ET... ET ÇA MARCHE?
BIEN SÛR!

ET EN PLUS, C'EST GRATUIT!

VOUS ALLEZ OÙ?
À CLAIRETTE SUR LIE!
92/2

(*) VOIR L'ALBUM N°4 "PAPA A DE LA CLASSE"

O.K., MONTEZ !

?

CÉDRIC, T'ES FOU ?

MAIS ENFIN, TU AS ENTENDU, CE N'EST PAS DIFFICILE, ÇA VA PLUS VITE, ET EN PLUS, C'EST GRATUIT !

CÉDRIiiiiiC !
SI TU AS PEUR CONTINUE À PIED !

LÀ, TU VOIS, ÇA NE MARCHE PAS !
TU L'AS BIEN VU, ÇA NE MARCHE PAS À TOUS LES COUPS...

...IL Y EN A BIEN UNE QUI FINIRA PAR S'ARRÊTER !...

ÇA NE MARCHERA PAS, J'TE DIS !
MAIS SIiiii !
92/3

LÀ, TU VOIS ?

OÙ JE VOUS EMMÈNE, LES ENFANTS?
À LA FERME DU CHAMP DU LOUP, VOUS CONNAISSEZ?

BIEN SÛR QUE JE CONNAIS! D'AILLEURS, JE CONNAIS TOUTE LA RÉGION COMME MA POCHE! ALLEZ-Y, MONTEZ!
MERCI, M'SIEUR!
KLAP

SEPT KiLOMÈT
SEPT
ÉCARTEZ-VOUS DU BORD DE LA ROUTE, ATTENTION AUX VOITURES!
USE, ÇA USE... ÇA USE LES SOULIERS...

HAHAHA!
JE VOIS DÉJÀ D'ICI LEUR TÊTE QUAND ILS S'APERCEVRONT QU'ON EST DÉJÀ AU CAMP!

PLUS TARD...
COMBIEN?!
QUE VOULEZ-VOUS, COMME LES PETITS N'AVAIENT PAS D'ARGENT SUR EUX ET QUE TOUTE PEINE MÉRITE SALAIRE, J'AI DÉCIDÉ DE VOUS ATTENDRE... EN LAISSANT LE COMPTEUR TOURNER... BIEN ENTENDU...

BIEN ENTENDU...
MERCI, MON GARS, ET SI VOUS AVEZ BESOIN DE MOI, N'HÉSITEZ PAS!
TAXI

CEDRIIIIIC ICI!!
ÇA Y EST! ET POURQUOI JUSTEMENT MOI?
EEEH, J'AI RIEN FAIT, MOI...
92/4

CAUVIN. Laudec '93

Un petit coin de parapluie

CÉDRIC, TU NE VAS PAS TE RENDRE À L'ÉCOLE HABILLÉ COMME CELA ET PAR UN TEMPS PAREIL ! PRENDS AU MOINS UN PARAPLUIE...
LES PARAPLUIES, C'EST POUR LES FILLES !

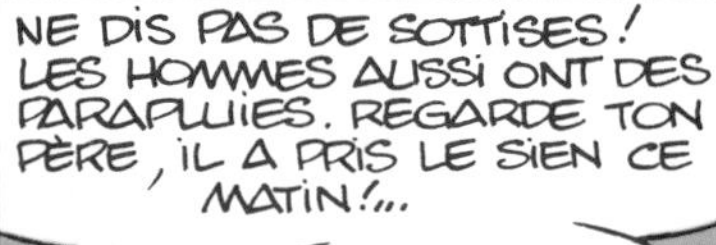

NE DIS PAS DE SOTTISES ! LES HOMMES AUSSI ONT DES PARAPLUIES. REGARDE TON PÈRE, IL A PRIS LE SIEN CE MATIN !...

OUI, MAIS LUI IL EST VIEUX !

TIENS, PRENDS LE MIEN !

FLOP
AAAHH !

TU N'Y PENSES PAS, 'MAN ? IL EST COUVERT DE FLEURS ! JE VAIS AVOIR L'AIR RIDICULE !
TU VEUX CELUI DE TON GRAND-PÈRE ?

AH BEN NON ALORS !
CÉDRIC !
À TOUT À L'HEURE, 'MAN !

CHR... CHRISTIAN ?
OUI ?
93/1

MAIS OÙ T'AS TROUVÉ CE BIDULE ?
CE BIDULE, COMME TU DIS, C'EST LE PARAPLUIE DE MON ONCLE !

ET TU OSES SORTIR AVEC CE MACHIN ?
BIEN SÛR ! QUAND IL PLEUT COMME AUJOURD'HUI, C'EST DRÔLEMENT PRATIQUE.
MAIS TU AS L'AIR D'UNE ANDOUILLE !
UNE ANDOUILLE ? OUI PEUT-ÊTRE, MAIS UNE ANDOUILLE SÈCHE...

DIS, TU NE VEUX PAS...?
ALLER AVEC TOI LÀ-DESSOUS ? ÇA VA PAS LA TÊTE ? ON AURA L'AIR DE QUOI, JE TE LE DEMANDE ?

...COMME TU VOUDRAS...

AHAHA !...
QUI C'EST QUI EST LÀ-DESSOUS ?
CHRISTIAN !

AHAHAHA !
QU'EST-CE QU'IL A L'AIR
IL LE SAIT ! JE LE LUI AI DÉJÀ DIT...

HIHIHI
MAIS QUI...?
C'EST CHRISTIAN !
HOHO HOHOHO
HIHI HAHAHA
SPLAF
SPLAF
SPLAF
93/2

OUHOUUUUUU'
?
?
?

CHRISTIAN, ON PEUT ?
OUAIS !

CHLISTIAN ?
OUI, BIEN SÛR, CHEN ! VIENS, IL Y A ENCORE DE LA PLACE !

VOULEZ-VOUS QUE JE VOUS DISE ?
SURTOUT PAS. ON SOUFFRE DÉJÀ ASSEZ !

LE LENDEMAIN...
CÉDRIC ?
OUI, 'MAN ?

POURQUOI PRENDS-TU MON PARAPLUIE POUR ALLER À L'ÉCOLE ? IL NE PLEUT PAS !
D'ACCORD... MAIS ON NE SAIT JAMAIS !
93/3

CAUVIN - Laudec '93.

Coupe maison

?

?

CÉDRIC, ES-TU PASSÉ CHEZ LE COIFFEUR APRÈS L'ÉCOLE COMME JE TE L'AVAIS DEMANDÉ ?
OUI, 'MAN !

ALORS ?

WHAHAH!
HiHi HoHoHo
HAHAHA

SPLITCH
SPLITCH
SPLITCH

PAPA, JE PRÉSUME QU'À PRÉSENT, TU ES FIER DE TOI ?
EXCUSE-MOI... HiHi... MARIE-ROSE, HiHiHi... ÇA A ÉTÉ PLUS FORT QUE MOI...
HiHi...
HiHi...
88/1

CAUVIN - Laudec 92

Disparu sans laisser d'adresse

HUIT HEURES ET IL N'EST PAS ENCORE RENTRÉ ! CE N'EST PAS DANS SES HABITUDES. IL LUI EST SÛREMENT ARRIVÉ QUELQUE CHOSE...
OH TOI, IL FAUT TOUJOURS QUE TU VOIES TOUT EN NOIR.
SUPER ! LA NOUVELLE

QU'EST-CE QUE TU ATTENDS POUR TÉLÉPHONER À LA POLICE ? APPELER LES HÔPITAUX ?
EUH ... JE ... ÉCOUTE, ON ATTEND ENCORE UNE HEURE ET SI, À NEUF HEURES, IL N'EST PAS ENCORE LÀ, ALORS ...

? ?
TÛT TÛT TÛT TÛT

ALLÔÔÔ ?... OUI... NE QUITTEZ PAS, JE L'APPELLE...

CHÉLIE, C'EST POUL TOI...
?

ALLÔ ? C'EST TOI, CHEN ?... OUI, ICI C'EST LE GLAND-PÈLE DE CÉDLIC... DIS-MOI...

LA DELNIÈLE FOIS QUE J'AI VU CÉDLIC ? C'ÉTAIT DANS L'APLÈS-MIDI...

ON SE PLOMENAIT TOUS LES DEUX...

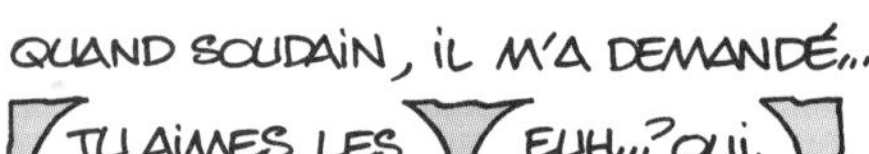
QUAND SOUDAIN, IL M'A DEMANDÉ...

TU AIMES LES POMMES ?
EUH...? OUI, MAIS...

BOUGE PAS DE LÀ, J'ARRIVE !

J'AI FAIT COMME IL AVAIT DIT ! J'AI ATTENDU PENDANT DES HEULES, MAIS COMME IL NE LEVENAIT PAS, JE SUIS LENTLÉE À LA MAISON.
99/1

QUAND IL T'A PLOPOSÉ CETTE POMME, VOUS ÉTIEZ OÙ?... JE M'EN DOUTAIS...
MELCI, CHEN...

LA FERME DES BLEUETS! C'EST LÀ QU'IL EST! DEMANDEZ AMÉDÉE. IL SAIT CE QU'IL A À FAIRE.
MAIS QU'EST-CE QUI VOUS FAIT CROIRE QUE...?
VIENS, CHÉRI! JE NE SAIS PAS POURQUOI MAIS JE SUIS SÛRE QU'IL A RAISON...

HAHAHAHA, SACRRÉBONSANG DE BONSOËER, J'AI BEAU CRIER À LA RONDE, PERSONNE NE M'ÉCOUTE JAMAIS...

BÉCASSINE, ICI!

C'EST QUE C'EST UNE VICIEUSE, LA BÉCASSINE! POUR LES LAISSER ENTRER, Y A PAS DE PROBLÈME, MAIS POUR LES LAISSER SORTIR, C'EST AUT'CHOSE! C'EST QUE J'EN AI DÉJÀ TROUVÉ DU MONDE DANS C'POMMIER...

LA PROCHAINE FOIS, SI VOUS VOULEZ UNE POMME, SUFFIT D'LA D'MANDER...

DIS-MOI, PAPA, MAIS COMMENT AS-TU PU DEVINER?
IL Y A DEUX SEMAINES, J'AI ÉTÉ EU AUSSI!
99/2

CAUVIN - Laudec '93

Joueur de trempette

HÉ ! PÉPÉ, TU VEUX BIEN GARDER MON SKATE ?
HEIN ? MAIS C'EST QUE...

S'IL TE PLAÎT, DIS...
...J'ALLAIS JUSTEMENT RENTRER À LA MAISON...

JE N'EN AI QUE POUR UN INSTANT !...
MAIS PUISQUE JE TE DIS QUE...

MERCI, PÉPÉ !
CÉDRIC !

J'AI DIT : JE RENTRE À LA MAISON !
O.K. ! ALORS, REPRENDS-LE, JE N'EN AI PLUS BESOIN !

NON, MAIS TU M'AS DÉJÀ BIEN REGARDÉ !? IL N'EST PAS INSCRIT "BOY" SUR MA CASQUETTE !
TOC TOC TOC

JE M'EN VAIS, HEIN ?! JE LAISSE TON SKATE ! JE L'ABANDONNE !

97/1

DIDJÎDINOMDIDJÎ !!

SALE GAMIN !

C'EST PAS VRAI, JULES TU T'ES MIS AU SKATE À PRÉSENT ?

OUAIS ! ENTRE NOUS, JE M'ENTRAÎNE POUR LE CHAMPIONNAT DE LA PLANCHE À ROULETTES RÉSERVÉ AUX CADETS DE L'HOSPICE ET QUI AURA LIEU L'ANNÉE PROCHAINE À LA JAMAÏQUE...
À... LA JAMAÏQUE ?

PFFFF... PFFFF...
97/2

ARF ARF ARF
?
ICI, CALIGULA
MIAÔÔW

CALIGULA! ICI!
ARF ARF
MIIAÔÔÔW
AAAAH!
SPLASH
CÉDLIC, TON GLAND-PÈLE!

CALIGULA! ICI, J'AI DIT!
ARF ARF ARF
MIAÔÂÔW

BEN ÇA ALORS! ET DIRE QUE QUAND IL M'A DIT QU'IL S'ENTRAÎNAIT POUR LA JAMAÏQUE, JE CROYAIS QU'IL SE MOQUAIT DE MOI!...
MAIS ENFIN, PAPA, QU'EST-CE QUI T'A PRIS? DIS QUELQUE CHOSE!
KOFF KOFF KOFF KOFF
TAP TAP
IL VA SÛREMENT LE DIRE, MADAME, MAIS IL VAUT MIEUX ATTENDRE QU'IL AIT FINI DE TOUSSER!
JE TE JURE, 'PA, QUAND JE LUI AI LAISSÉ MON SKATE, JE N'AURAIS JAMAIS PENSÉ QU'IL ALLAIT MONTER DESSUS...
97/3
CAUVIN - Laudec '97.

L'homme de paille

BZOU
AU REVOIR, ROBERT.
AU REVOIR, JEANNE !

AU REVOIR, CÉDRIC !
AU REVOIR, TANTINE !

... ET NE RESTEZ PLUS SI LONGTEMPS AVANT DE ME RENDRE VISITE ! ÇA ME FAIT TELLEMENT PLAISIR...
TU PEUX COMPTER SUR NOUS, JEANNE...

DIS, PAPA, POURQUOI ELLE A FAIT EMPAILLER SON CHIEN ?
PAR AMOUR, CÉDRIC !

ELLE L'AIMAIT TELLEMENT QUE, MÊME S'IL NE VIT PLUS, ELLE JOUIT TOUJOURS DE SA PRÉSENCE...
ELLE L'AIMAIT BEAUCOUP BEAUCOUP ?

BEAUCOUP, BEAUCOUP...

DIS, PAPA ...?
OUI ?
PÉPÉ, JE L'AIME BEAUCOUP, BEAUCOUP AUSSI, TU SAIS...

ALORS, S'IL LUI ARRIVAIT QUELQUE CHOSE, TU... TU NE CROIS PAS QUE...?

MAIS ENFIN, ROBERT, TU ES AGAÇANT À LA FIN ! DIS-NOUS AU MOINS CE QUI TE FAIT TELLEMENT RIGOLER !
HOHO
KAKAKA
J'OSE PAS !

CAUVIN - Laudec '93.

La cousine infernale

?
?
?

ÇA ALORS, QUELLE MOUCHE LE PIQUE?
IL NE S'EST MÊME PAS ARRÊTÉ POUR TE DIRE BONJOUR, CHEN. ÇA DOIT ÊTRE GRAVE...

CÉDRIC? HOUHOUUU! CÉDRIC!...
?
?
?

YOLANDE!... YOLANDE CARFAVELLE. TU AS RAISON, MANON, C'EST GRAVE.!
QUI EST-CE?
SA COUSINE! CÉDRIC L'APPELLE YÉTI! C'EST RAPPORT AU MONSTRE DES NEIGES.
?

?

C'EST VOUS, LA COPINE DE CÉDRIC, HEIN? NE DITES PAS LE CONTRAIRE, IL M'A PARLÉ DE VOUS!..
HEU...
100/1

ALLEZ, AVOUEZ !
EUH... J'AIME BIEN CÉDLIC, VOILÀ TOUT...
CÉDRIC !
CÉDLIC.

CÉDLIC... HiHi HiHi...

POULQUOI LIEZ-VOUS ?
PARCE QUE VOUS AVEZ UNE FAÇON BIZARRE DE PARLER. VOUS N'ARRIVEZ PAS À PRONONCER LES "R". AVOUEZ QUE C'EST RIDICULE !

JE... J'Y ALLIVELAI ! IL FAUT ME LAISSER UN PEU DE TEMPS... CHEZ NOUS, EN CHINE...
MAIS VOUS N'ÊTES PAS ICI EN CHINE, MA CHÈÈRE...

JE VOUS AVOUE, FRANCHEMENT QUE JE SUIS ÉTONNÉE... JE NE VOIS PAS CE QUE CÉDRIC VOUS TROUVE DE PARTICULIER...

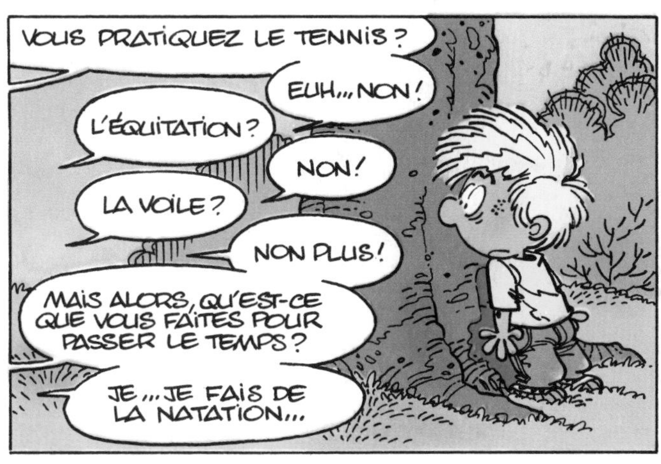
VOUS PRATIQUEZ LE TENNIS ?
EUH... NON !
L'ÉQUITATION ?
NON !
LA VOILE ?
NON PLUS !
MAIS ALORS, QU'EST-CE QUE VOUS FAITES POUR PASSER LE TEMPS ?
JE... JE FAIS DE LA NATATION...

DE LA NATATION... PFFF... TOUT LE MONDE FAIT DE LA NATATION... C'EST D'UN COMMUN...
AH, TE VOILÀ, TOI !
100/2

T'AS PAS BIENTÔT FINI DE L'ENQUIQUINER?
MAIS JE NE L'ENNUIE PAS ! JE CAUSE, N'EST-CE PAS QUE L'ON CAUSE ?
HEIN?
DIS?
EH BIEN, DIS-LE-LUI !

ÉCOUTE, YOLANDE...
LAISSE-NOUS, CÉDLIC...
Hi Hi Hi CÉ-DRic !

MAIS... MAIS, CHEN...
J'AI DIT: LAISSE-NOUS !
TU L'AS ENTENDUE? TA COPINE A DIT : LAISSE-NOUS !

?... JE NE VOUDRAIS PAS VOUS FROISSER, MAIS SI VOUS VOULEZ QUE JE VOUS COMPRENNE, IL VOUS FAUDRA PARLER FRANÇAIS COMME TOUT LE MONDE...
VOUS AVEZ LAISON. JE TLADUIS...

VOUS COMMENCEZ DLÔLEMENT À M'ÉCHAUFFER LES OLEILLES. DE DEUX CHOSES L'UNE: OU VOUS ALLEZ VOIL SI VOTLE GLAND-MÈLE FAIT DU PÉDALO SUL LE YANG-TSÉ-KIANG, OU VOUS LESTEZ ICI ET JE VOUS COLLE UN COUP DE PIED AUX FESSES À VOUS DÉCHAUSSER LES MOLAILES !
OOOH
JE COMPTE JUSQU'À TLOIS !
OOOOH
UNE... DEUX...
RHÔÔÔ !

OOOOH !
OOOOH !
EH BEN...

TU VEUX QUE JE TE DISE ? QUAND TU L'AURAS ÉPOUSÉE, TU N'AURAS PAS INTÉRÊT À L'ÉNERVER !
C'EST LA FAUTE À YÉTI ! N'AVAIT QU'À PAS LA PROVOQUER !

OUAIS... MAIS TOUT DE MÊME !
D'ACCORD. AU DÉBUT, ÇA PEUT SURPRENDRE, MAIS APRÈS, JE SUIS SÛR QU'ON S'HABITUE...
DU MOINS, JE L'ESPÈRE...
100/3

Nuit d'orage

BROM BOLONG B

'MAN ! J'AI PEUR...
PEUR ? M'ENFIN, CÉDRIC, TU N'AS PAS HONTE ?
CLIC

JE... JE PEUX DORMIR AVEC VOUS ?
MAIS...
BAH... LAISSE-LE, CHÉRIE, CE N'EST PAS POUR UNE FOIS...

ALLEZ, VIENS, FISTON !
MERCI, 'PA !

PAPA ?
AH NON ! PAS VOUS ! IL N'EN EST PAS QUESTION !
MAIS...

BON !

LE LENDEMAIN MATIN...
TU... TU CROIS QUE C'EST CE QU'IL VOULAIT NOUS DIRE, HIER SOIR ?
QUE LA FENÊTRE DU REZ-DE-CHAUSSÉE AVAIT CÉDÉ SOUS LA PRESSION DU VENT ? SÛREMENT ! MAIS TU NE LUI EN AS PAS LAISSÉ LE TEMPS !
90
CAUVIN - Laudec '92

Les nerfs à vif !

...SURTOUT, N'OUBLIE PAS D'EMMENER LE PETIT !
HEIN? MAIS...!

JE SAIS BIEN QU'IL N'A PAS MAL, MAIS, TANT QU'À FAIRE, APRÈS T'AVOIR SOIGNÉ, IL JETTERA UN COUP D'OEIL SUR LES DENTS DE CÉDRIC, HISTOIRE DE VOIR SI TOUT EST NORMAL...
EEEH, MAIS...
JE LUI AI TÉLÉPHONÉ ! IL EST D'ACCORD !

DENT
WAWA
FUMER

WAWA
AU SUIVANT !
AH, C'EST VOUS ?

VENEZ TOUS LES DEUX ! NE VOUS INQUIÉTEZ PAS, JE SAIS CE QUE J'AI À FAIRE. VOTRE FEMME M'A MIS AU COURANT !
ALORS, JE COMMENCE PAR QUI ?

?
98/1

OUAIS, ÇA VA, J'AI COMPRIS. VOUS D'ABORD! VOUS ÊTES LE PLUS GRAND, C'EST À VOUS DE DONNER L'EXEMPLE!
M... MAIS.

... ET CETTE FOIS-CI, TÂCHEZ DE VOUS MONTRER PLUS COURAGEUX QUE LA DERNIÈRE FOIS; VOTRE FILS VOUS REGARDE!

BIEN. VOYONS, VOYONS! LÀ, ÇA VA, LÀ AUSSI... AAAAH? LÀ!...

CE N'EST PAS ENCORE LA GROSSE CARIE, MAIS C'EST BIEN PARTI... ON VA SOIGNER CELA.
OUVREZ LA BOUCHE! ENCORE... ENCORE...

PÂÂÂRFAIT! ET À PRÉSENT, ON NE BOUGE PLUS!
RINCEZ-VOUS LA BOUCHE!
RIIICHTCHÛF

RIIICHTCHÛF
RINCEZ-VOUS LA BOUCHE!
ZIP CLIP CLOP TINK
ET VOILÀ!

À PRÉSENT, À TOI, FISTON! J'ESPÈRE QUE TU SERAS AUSSI COURAGEUX QUE TON PAPA! TU AS VU, IL N'A PAS BOUGÉ, PAPA! IL N'A PAS DIT UN MOT, PAPA!

PLUS TARD...
NON, J'IGNORE CE QUI S'EST PASSÉ, DOCTEUR! IL EST RENTRÉ DE CHEZ LE DENTISTE AVEC SON FILS IL Y A UNE HEURE, IL S'EST AUSSITÔT COUCHÉ SUR LE DIVAN, ET VOILÀ
BIZARRE! ON DIRAIT QUELQU'UN QUI VIENT D'ACCOMPLIR UN EFFORT SURHUMAIN...
BERCO TRANS

VOUS NE VOYEZ VRAIMENT PAS CE QUI...?
À PRÉSENT, SI!
98/2

FRANCHEMENT, SI TU AVAIS SI PEUR QUE ÇA, IL FALLAIT ME LE DIRE!
... J'AURAIS ÉTÉ AVEC LE PETIT! NON MAIS, TU AS VU, DANS QUEL ÉTAT TU ES? PENSE UN PEU SI TU AVAIS CRAQUÉ DEVANT LUI!
HIHI WHAHAHA HOUHOU HAHA HOHO HIHI
J'AI PAS CRAQUÉ, CHÉRIE! J'TE JURE, J'AI PAS CRAQUÉ!
ENFIN... LÀ!

CAUVIN - Laudec 93.

Souvenirs, souvenirs...

ÇA INTÉRESSE QUELQU'UN DE REGARDER AVEC MOI LES PHOTOS DU TEMPS OÙ J'AVAIS VOTRE ÂGE ?

TCHIK
TCHIK TCHIK

96/1

MARIE-ROSE?
PAPA, JE LES CONNAIS TOUTES PAR COEUR! TU NOUS LES AS DÉJÀ MONTRÉES AU MOINS CENT FOIS...
TCHIK TCHIK TCHIK TCHIK

...ET PUIS, TU VOIS BIEN QUE JE SUIS OCCUPÉE!

...OH, MOI, VOUS SAVEZ, VOTRE FAMILLE...
TCHIK TCHIK TCHIK TCHIK

MOI...JE...JE LIS, PÉPÉ!

JUIN 1945

UN JOUR, JE VOUS REJOINDRAI LÀ-HAUT! J'AURAI ALORS UN TAS DE CHOSES À VOUS RACONTER. MAIS D'ICI LÀ, IL FAUDRA CONTINUER À NOUS REGARDER, VOUS, AVEC VOS YEUX DE PAPIER, MOI, SANS RIEN DIRE...
96/2

VOYEZ-VOUS, MON AVENIR EST ENTRE LES MAINS DE DIEU...

... MON PRÉSENT, DANS CE FAUTEUIL...

... ET MON PASSÉ DANS UNE BOÎTE EN CARTON...

... ENTRE UNE PILE D'ASSIETTES À DESSERT, ET QUELQUES COUVERTS EN ARGENT...

... ALORS, QUAND ON N'A PERSONNE À QUI PARLER, LA SEULE CHOSE À FAIRE, C'EST D'ALLER RETROUVER LE SEUL AMI QUI VOUS DONNE ENCORE CHAUD AU COEUR, VOTRE ÉDREDON !
BONNE NUIT, TOUT LE MONDE !

PAPA?
MMM?

... ET CELLE-LÀ, C'ÉTAIT JUSTE LA VEILLE DE NOTRE MARIAGE ! LÀ, À CÔTÉ, C'EST COUSIN LÉON ! IL EST DÉCÉDÉ IL Y A UNE BONNE DIZAINE D'ANNÉES, D'UN INFRACTUS.
INFARCTUS, PAPA ! INFARCTUS !
OUI, C'EST ÇA ! D'UN INFARCTUS ! TANTE ADELINE, CELLE QUI EST LÀ, EST MORTE DURANT LA DERNIÈRE GUERRE... ET LÀ...
Z...
96/3

CAUVIN - Laudec '93

PRINTED IN BELGIUM BY
proost
INTERNATIONAL BOOK PRODUCTION

VRooooo